MA DER
EST UN PIÈGE

MIKHAÏL KALACHNIKOV,
SA VIE, SON ŒUVRE

MA DERNIÈRE CRÉATION
EST UN PIÈGE À TAUPES

OLIVER ROHE

éditions inculte

Le présent texte est une adaptation d'une pièce radiophonique pour France Culture, AK-47.

Si, plus semblables aux choses,
nous nous laissions terrasser
par une aussi grande tempête –,
comme nous serions vastes et
anonymes.

R. M. RILKE

IL POURRAIT RESSEMBLER à n'importe quel vieillard de notre entourage et de notre imagination. Un vieillard avec des cheveux gris fins, un visage parcheminé et un teint cireux, presque cadavérique, avec une peau affaissée et des mains tavelées. Il pourrait être assis en ce moment sur un banc un peu à l'écart, sous un grand arbre, dans un jardin public. Il serait en train de nourrir des pigeons, de regarder des enfants jouer de l'autre côté de la pelouse ou de lire son quotidien préféré. Il serait veuf depuis plus de dix ans. Il n'aurait plus beaucoup d'amis encore en vie et sa descendance, ses enfants et ses petits-enfants, n'auraient dans l'ensemble que très peu de temps à lui consacrer. Au début, il s'en offusquerait, de cet abandon, puis il finirait par l'accepter et même par le comprendre. Il se sentirait assez seul la plupart du temps, mais il se sentirait seul dans sa propre maison. Car il aurait cette chance, peut-être, ce privilège inestimable d'habiter toujours chez lui, dans sa petite maison de deux étages, parmi ses vieux meubles et sa collection de bibelots, parmi ses albums photos et ses odeurs familières. Et chez lui, dans sa propre maison, après sa promenade au square et son dîner frugal, il s'endormirait la bouche ouverte devant son écran de télévision.

Ce serait quelqu'un qui s'emmerde, qui attend et qui s'emmerde. Un vieillard comme les autres, comme tous ceux qui peuplent notre entourage et notre imagination.

Oui.

Sauf que lui n'est pas un vieillard comme les autres. Pas tout à fait. Pas complètement.

S'il est bien ce vieux monsieur avec des cheveux gris fins, avec une peau cireuse et avec des mains toutes tavelées, s'il peut partager avec le vieillard quelconque un certain destin physique, une haleine, des fuites, un certain pourrissement interne, peut-être même des lenteurs, des oublis rageants et des radotages, notre vieillard, lui, pour commencer, contrairement à tous ceux qui peuplent notre entourage et notre imagination, ne donne jamais à manger aux pigeons. Il le disait lui-même : *rien d'humain ne m'est étranger. J'aime la pêche, la chasse et les femmes.* Comme ça, dans cet ordre.

Notre vieillard avait dit *j'aime la pêche, la chasse et les femmes* et il est né en 1919 dans le village de Kourya, dans la région de l'Altaï, au sud de la Russie. Il est né au sein d'une famille de paysans modestes mais propriétaires de leur terre, une famille nombreuse et probablement unie, comptant pas moins de dix-neuf frères et sœurs, dont une bonne dizaine mourra de maladies, d'accidents et d'autres calamités arbitraires, parce que c'était comme ça à l'époque : on enfantait plus large pour s'assurer que dans le tas au moins quelques-uns survivraient.

À l'époque nous étions tiraillés, nous n'avions pas d'issue, à l'époque nous étions soumis à un terrible dilemme.
En ces temps pour nous reculés du progrès technique il y avait d'un côté des fusils puissants et précis pouvant atteindre des cibles de longue portée et de l'autre des pistolets-mitrailleurs capables d'arroser en abondance sur des distances assez courtes. Armé d'un fusil solide le soldat était confronté à la lourdeur et à l'absence d'automaticité dans les tirs, tandis qu'avec le pistolet-mitrailleur il devait le plus

souvent s'attendre à affronter des problèmes de verrouillage et de fiabilité réduite.

Le soldat et surtout les supérieurs hiérarchiques qui décidaient pour lui devaient invariablement trancher entre la précision et l'abondance du feu, entre l'encombrement matériel et les problèmes de sécurité. Le soldat pouvait quant à lui mourir également de l'un ou de l'autre.

C'était pour l'infanterie de l'époque surtout une affaire de munitions, de cartouches, de diamètres. La grande cartouche du fusil, la petite munition du pistolet.

Il fallait maintenant inventer le bon calibre, le calibre adapté aux temps nouveaux.

Maintenant nous étions mûrs pour un nouveau calibre.

Et puis il y avait eu la révolution d'Octobre.

La guerre civile, l'Armée rouge, le communisme de guerre, Staline succédant à Lénine, les premiers indices du dévoiement, toute une chaîne d'événements historiques que nous connaissons, dont nous connaissons aujourd'hui la scansion.

Avec sa famille de paysans de l'Altaï, avec son père sévère et sa maman aimante, avec ce qu'il restait de ses frères et sœurs, tous sympathiques et espiègles, il avait été condamné à la déportation. Parce qu'il y avait effectivement eu les expropriations et la collectivisation, la famine et les liquidations physiques, parce qu'il y avait eu les déplacements de populations, le brassage des minorités et le peuplement forcé de la Sibérie. Et c'est bien sûr en Sibérie que sa famille de koulaks, de paysans modestes mais de paysans propriétaires, quand même, de petits privilégiés, que sa famille nombreuse et dans l'adversité toujours unie avait dû s'exiler du jour au lendemain. Il aimait vraiment beaucoup sa famille. Il l'avait dit lui-même : *J'adorais ma famille. Je suis reconnaissant à mes parents de m'avoir mis au monde, et de pouvoir vivre sur cette terre.* Et qui dit déportation dit voyage en train, on l'imagine dans des wagons à bestiaux surpeuplés et étouffants, trop chauds, trop moites, des étuves sans latrines et sans fenêtres, la plupart du temps debout et les jambes peu à peu comme une rage de dents, à l'étroit parmi des gens sales, de plus en plus puants et même pour beaucoup malades, toute une masse compacte de voyageurs anéantis dans leurs corps et dans leurs nerfs qu'on imagine souvent pleurant et râlant de douleur, de haine et de fatigue, et tout ça sur plusieurs jours, pendant

huit jours et huit nuits insoutenables, le temps
d'arriver enfin à la gare de Taïga. D'où lui et sa
famille, une fois bousculés hors du wagon à bestiaux et triés comme tels par des miliciens sur les
quais, s'enfonceront ensuite sous la surveillance
de leurs gardes dans les profondeurs glaciales de
la Sibérie, sur des traîneaux, sur des chevaux et
par intermittence sur leurs seules jambes sup-
pliciées, là encore pendant plusieurs jours et
plusieurs nuits, à travers des paysages inconnus
qu'on imagine à la fois somptueux et terrifiants,
parce que c'est la Grande Russie, pour parvenir morts d'épuisement jusqu'à leur destination
finale : un village morne et glacial à quelque cent
quatre-vingts kilomètres de Tomsk.

Comme souvent dès qu'il s'agit d'ingénierie
industrielle, ce seront d'abord les Allemands
qui le concevront, le bon calibre, le calibre qui
sied aux temps nouveaux. *7,92 par 33 mm Kurz.*
Soit une solution médiane, une troisième voie,
un amalgame possible entre la grande munition du fusil et la petite munition du pistolet-
mitrailleur. Une trouvaille simple mais géniale
qui avait produit d'excellents résultats dans les
phases d'expérimentation et qui avait été ensuite

approuvée et validée en très haut lieu par le chancelier du IIIe Reich en personne.

7,92 par 33 mm Kurz : ce sont ces chiffres et ces dimensions révolutionnaires, rassemblés sous cette appellation austère mais magique, qui avaient servi dès lors de standard à toutes les munitions fabriquées par l'industrie d'armement individuel allemande et mises à la disposition de l'infanterie de la Wehrmacht pour son offensive totale et suicidaire contre les armées soviétiques. Lesquelles armées soviétiques mettront évidemment la main sur des exemplaires de ces calibres révolutionnaires et tenteront alors, non sans difficulté, de s'adapter à leur tour aux temps nouveaux qui exigeaient ainsi, pour des raisons de configuration spatiale et temporelle des combats, de stratégie d'attaque et de défense, qu'on règle une bonne fois pour toutes ce terrible dilemme des munitions et qu'on adopte par conséquent un armement individuel inédit. Maintenant nous tenions enfin le nouveau calibre.

En Sibérie, dans son lointain village de déportés, presque à sa descente du train, il avait été très vite contraint de prendre part aux travaux champêtres. Immédiatement il s'était mis à arracher des mauvaises herbes, à labourer le sol, à semer des graines et à arroser des graines, à attendre dans la crainte et l'impatience que la terre veuille bien les régurgiter en aliments comestibles. Il trayait les vaches au petit matin et à la tombée de la nuit il rapatriait le bétail. À la tombée de la nuit la fratrie fourbue et affamée mangeait sa soupe en vitesse, le père parlait peu, la mère comblait les silences. Les jours de relâche, il transportait quand même des branches de bois d'un endroit à un autre, découpait des bûches, remplissait des brouettes, déversait leur contenu au pied du mur extérieur de la maison. À peine pubère, sitôt atteint l'âge de 10 ou 11 ans, il avait ainsi découvert la hache, la scie, la serpe, les pelles, les râteaux, les outils et les méthodes rudimentaires de domination de la nature, de correction perpétuelle du vivant.

L'hiver, par un chemin chaque fois identique et emprunté par lui seul, il se rendait à pied au collège du village voisin. Il pénétrait à l'aube dans la forêt enneigée, sinuait parmi les ifs et les grands mélèzes, longeait la lisière du bois, longeait des lacs et des étangs gelés. Il aimait la façon dont son corps se rétractait pour se défendre contre le froid, les fissures qui parfois menaçaient les surfaces vitrifiées. Sur place où il arrivait à peu près toujours en avance, il recevait des gifles d'élèves un peu plus vieux que lui, participait à des jeux de ballon, participait à des batailles de boules de neige, apprenait enfin de la bouche d'enseignants également déportés les innombrables bienfaits de la révolution d'Octobre – qui les avait donc tous expulsés de chez eux et privés de l'ensemble de leurs droits civiques, même du droit le plus élémentaire de se faire désigner et de pouvoir désigner les autres citoyens sous le nom de *camarades*, comme à peu près tout le monde, parce qu'une famille de paysans propriétaires est pour toujours selon le père du peuple une famille d'ennemis du peuple. Un peu plus tard, sur une photo prise dans un studio de Moscou, on peut le voir superbement gainé dans une veste militaire en drap de laine bleu marine, la tête haute et altière, les épaules et le large torse bardé d'étoiles, de rubans et de médailles de toutes sortes, dont celle de l'ordre de Lénine et celle du prix Staline. Mais en attendant de vieillir, dès l'apparition des premières chaleurs du printemps, des premières frondaisons, il recommençait le cycle immémorial des travaux champêtres. Inlassablement les mêmes efforts, les mêmes besognes harassantes.

Il piochait, il labourait, il arrosait. Sous un soleil qui lui tannait le sommet du crâne, la nuque, les avant-bras, parmi des nuées d'insectes qui lui saccageaient la peau. Parfois, quand il s'adossait à un arbre pour souffler ou avaler son déjeuner, la beauté du paysage se déployant comme une implosion horizontale sous ses yeux lui arrachait des larmes de joie et de terreur mêlées. Il allait ensuite au puits d'eau derrière la maison, il tirait la corde ou actionnait la vieille pompe, il écoutait les craquements du bois et les grincements de la corde épaisse contre la poulie en pierre. Sur le chemin de l'enclos à bétail, après une rude et longue journée de sarclage ou de fauchage, il posait de plus en plus souvent ses deux coudes sur la clôture encore tiède du hangar pour en admirer les étrilles électriques, les machines-outils et les tracteurs tout juste acquis par la direction de la coopérative. Il aimait traire les vaches. Il aimait beaucoup sa mère et il aimait beaucoup son père.

En ces temps-là cruciaux pour la formation de l'esprit il observait avec constance et ravissement les systèmes mécaniques sommaires, les poulies, les manivelles, les courroies, les engrenages. Il regardait, il enregistrait. Les frictions, la fluidité, les poussées, les tractions. Et par une journée de tempête polaire qu'on imagine de tous les diables il a enterré son père mort de fatigue et d'amertume.

Les survivants, sur le front de l'Est, les blessés et les estropiés, dans les hôpitaux et dans les casernes se plaignaient de la supériorité des armes de combat allemandes. Les soldats de l'infanterie allemande jouissaient d'une grande mobilité matérielle sur à peu près tous les théâtres d'opérations et tiraient sur les combattants de l'Armée rouge par rafales, parfois en plein mouvement et avec une précision diabolique, ils les descendaient comme des volées de pigeons, comme des canards dans une fête foraine. Il y avait dans la diversité des récits d'horreur, d'abattement ou de révolte que les soldats russes rapportaient du champ de bataille comme l'expression d'un sentiment d'injustice morale face au déséquilibre technique naissant entre les deux armées au sol. Car de plus en plus de soldats allemands du front de l'Est étaient en effet équipés de fusils d'un genre tout à fait nouveau pour l'époque : des fusils d'assaut STG 44 – diminutif de Sturmgewehr, année 1944. Ce n'était pas encore une machine parfaite, bien qu'elle fût de conception allemande, mais c'était déjà une machine redoutable, qui sortait l'infanterie de son terrible dilemme, qui lui offrait enfin la possibilité de cumuler ensemble les avantages comparatifs du pistolet-mitrailleur et du fusil – la courte portée et la cadence automatique de tir, la puissance du coup par coup et l'encombrement réduit, etc. – sans avoir à souffrir exagérément de leurs inconvénients naturels respectifs.

Entre 1943, date de sa mise en service progressive sur les champs de bataille, et la capitulation du IIIe Reich en 1945, le constructeur allemand C. G. Haenel Waffen avait dans son effort de guerre fabriqué quelque 500 000 exemplaires de Sturmgewehr. 300 000 unités avaient été utilisées au cours des deux dernières années de la guerre, celles du déclin de la Wehrmacht, essentiellement contre les soldats de l'Armée rouge en Russie et en Ukraine ; le reste de la production, soit pas moins de 200 000 unités intouchées et flambant neuves, dont on avait ensuite simplement récuré et recouvert les infâmes insignes nazis, le reste avait été gracieusement transmis aux armées de la jeune République démocratique allemande et du pays frère Yougoslave.

Déjà on savait s'occuper des restes, déjà on savait éviter le gaspillage.

Ceci est la stricte vérité : son beau-père était un homme très gentil et très attentionné, particulièrement soucieux de souder cette grande famille recomposée comme il y en avait peu à l'époque à coups de petites gentillesses et de petites attentions. Là un baiser affectueux et réparateur sur le front meurtri d'un de ses fils adoptifs, ici une friandise rouge miraculeusement apparue derrière l'oreille d'une de ses filles adoptives. Un homme bon et travailleur avec sa mère et qui de ses propres mains et avec l'aide de ses fils légitimes comme adoptifs avait en quelques semaines construit une nouvelle isba pour héberger toute la nouvelle tribu sous un même toit protecteur. Il n'avait d'ailleurs aucune difficulté à le reconnaître lui-même : *Mon beau-père ne faisait aucune différence entre ses propres enfants et nous, ce qui rendait notre famille très unie.* Mais il commençait à se sentir quand même à l'étroit dans sa famille agrandie, à présent il étouffait en Sibérie. Malgré le commerce des haches et des pelles, malgré le spectacle des tracteurs et des machines-outils.

Il était temps pour lui de s'évader de la déportation, de fuir le village des déportés.

Il avait alors rentré son pantalon dans ses chaussettes et il s'en était allé rejoindre en plein mois de juillet le village de Kourya dans son lointain Altaï natal.

Le périple fut long – et nombreuses les péripéties. Et à l'arrivée : Kourya n'était plus la même. Les senteurs n'étaient plus les mêmes, les couleurs du ciel et de la pierre, les dimensions de l'espace, la sensation des choses, son corps au milieu de tout cela, plus rien ne correspondait à son souvenir. Certaines rues s'étaient comme volatilisées, les voisins avaient changé, soudain ses sœurs avaient vieilli, soudain il y avait un désordre de bois carbonisés et de végétation sauvage en lieu et place de sa maison d'enfance. Que les habitants de cet endroit défiguré et hostile puissent continuer de l'appeler Kourya était pour lui qui contemplait la façade rénovée de son ancienne école quelque chose d'injuste et de révoltant. Quand elles changent, avait-il pensé, il faudrait que les choses changent de nom.

Il s'était mis alors à courir de toutes ses forces, avalant des moucherons, s'éraflant les joues dans les branches.

Jusqu'en Sibérie.

Mais aussitôt revenu auprès des siens : la muraille infranchissable, l'étouffement, la sensation de suffoquer dans son village de déportés, la certitude physique de n'être plus en mesure d'exécuter les mêmes tâches quotidiennes, de fréquenter les mêmes lieux et les mêmes visages, de se retirer toujours près du même cours d'eau, sous l'ombre tigrée du même arbre, de stagner pour quelques années encore dans une aire toujours plus restreinte, de se racornir, de se ratatiner dans ce cadre inamovible et plus que jamais oppressant dont il avait déjà exploré les moindres recoins, épuisé toutes les ressources. Ainsi dès son retour au village, cheminant rapidement en lui, de nouveau l'intraitable, l'impérieuse envie de prendre le large, de déguerpir au plus vite. Il avait confié après quelque temps que parmi tous les pays qu'il avait eu la chance de visiter dans le monde, son préféré restait la Suisse, *parce que tout est propre et brillant, y compris les vaches.*

Avec la création du Sturmgewehr, l'industrie nazie avait réalisé un saut qualitatif considérable dans l'histoire de nos armes de combat individuelles. Elle avait réalisé pour nous un premier patron, un premier moule, elle avait inventé à partir d'une astucieuse réduction de calibre une catégorie nouvelle pour toutes les industries militaires du monde : le fusil d'assaut.

Mais ce patron conçu dans l'urgence de la guerre était encore imparfait et il était allemand. Il fallait en quelque sorte dénazifier le fusil d'assaut et le perfectionner en même temps. Ce n'était qu'un premier jet. Sa marge de progression était entière, son potentiel de croissance infini. C'était pour nous une terre vierge à coloniser, un immense gisement à exploiter.

Le Sturmgewehr était imparfait et il était allemand. En toute logique, il ne pouvait que susciter une réponse, une réplique, il devait susciter son propre dépassement.

C'était déjà la mort du romantisme et des évasions sauvages.

Il n'était maintenant plus question de se jeter avidement sur la steppe, de se ruer sur les rivières, d'enjamber les rails et les collines, de se figer soudain à la vue d'un loup rôdant en bordure des conifères, plus question de s'en remettre au hasard et de progresser à l'instinct, de s'ébrouer à l'air libre et de s'allonger sur des berges humides.

Les mains croisées derrière la tête, le nez empli de l'haleine de la terre.

Il n'était plus question de fuir comme ça, sauvagement, sans but ni préparation, mais de voyager en bonne et due forme, dans le respect des dispositions légales, sous la bénédiction des documents et des autorisations officiels ; de voyager en toute légalité et selon un itinéraire impeccablement pensé, qui ne laisserait aucune part à l'improvisation et parerait comme d'avance aux moindres accidents de parcours ; de voyager ou plutôt de se déplacer en respectant son plan de route à la lettre, en observant des haltes à intervalles réguliers, des parties de chasse ou de pêche à horaires fixes, un régime alimentaire adapté à l'épreuve, des plages de sommeil brèves mais fréquentes, une stricte rationalisation de la dépense énergétique.

C'était déjà l'ébauche d'une mécanisation à venir. Pendant des semaines, dans son refuge privatif du dernier étage, sous les combles de l'isba familiale, il apprenait tout seul à reproduire, à falsifier les différents documents de l'administration locale, à peine équipé de quelques morceaux de bois, d'un peu de plomb, de bougies, de papier, de résine et de ciseaux, d'un matériel

d'apprenti de base, dans la foulée de ses travaux champêtres, parfois sans s'autoriser la
moindre pause, sans même consentir au rituel
du dîner familial, chaque nuit depuis son suffocant retour d'évasion il s'ingéniait et il s'acharnait à contrefaire des cachets, des estampilles,
des sceaux, des formulaires et des signatures.
Puisque de bénédiction officielle, lui l'ennemi
du peuple, le fils de propriétaire terrien, il
n'aurait jamais eu.
Des semaines d'acharnement s'étaient écoulées
dans les combles. Il ne trayait plus les vaches,
n'allait plus à l'école, il en négligeait même les
tracteurs et les poulies. Il falsifiait.

La réponse de l'ingénierie soviétique était arrivée un peu trop tard, plusieurs mois après la
destruction du IIIᵉ Reich et l'occupation de
l'Allemagne par les forces alliées. Elle avait été
le fruit d'une compétition organisée par les
plus hautes autorités de l'Armée rouge, une
sorte de concours interne réunissant les ingénieurs les plus réputés ou les plus prometteurs
de l'industrie d'armement soviétique, elle avait
été l'aboutissement d'un long processus de sélection entre des concepteurs rivaux et des armes

concurrentes toutes obéissant au même cahier des charges et soumises à des séries d'essais et de mises à l'épreuve évalués par des juges compétents et impartiaux. La riposte soviétique était certes arrivée un peu trop tard, au terme d'un protocole de validation lourd et contraignant, mais la riposte avait été étincelante et elle avait été magistrale.

Son nom : AK-47 – diminutif de Avtomat Kalachnikova, année 1947. Soit l'arme individuelle ultime, conçue depuis la base et pour la base, une arme puissante et d'une bonne précision, simple à utiliser, facile à entretenir, une arme pouvant atteindre des cibles de longue portée et capable de lâcher en rafales pas moins de six cents coups par minute, une machine régie par un mécanisme qui ne s'enraye jamais et ne tombe jamais en panne, qui résiste absolument à toutes les conditions climatiques et ne trahit jamais le soldat. C'était à l'époque et c'est encore à ce jour une arme robuste et sans fioritures, *qui est là pour faire le boulot*, et c'est précisément dans cette sobriété, dans cette pureté fonctionnelle qu'elle puise toute sa beauté.

Derrière cet acronyme austère il y avait non seulement l'inventivité d'un jeune constructeur soviétique sorti victorieux d'une compétition interne mais surtout le colossal effort d'industrialisation générale du pays, la science socialiste dans son ensemble, la modernisation de l'agriculture et l'électrisation intensive du territoire, en plus de désigner ce fusil d'assaut aux formes si familières pour nous aujourd'hui, si familières et pourtant si mythiques, avec ce splendide bois vernis, avec ce large magasin en virgule inversée, avec cette espèce d'aura authentique qui se dégage de sa géométrie limpide et de ses matériaux sommaires, ce nom d'AK-47 renfermait effectivement en son sein l'abolition de la propriété privée et la collectivisation des moyens de production, la nouvelle politique économique, la planification quinquennale, les hauts-fourneaux et les ouvrières agricoles, la bataille de Stalingrad, l'art réaliste et le cinéma soviétique, les parades spontanées de la jeunesse et les grands défilés militaires.

Ce sont les images d'un documentaire datant d'une dizaine d'années, peut-être d'avant les attentats de New York, tournées caméra à l'épaule par une jeune femme débutant dans le métier du journalisme, qui s'était rendue sur place non pas pour enquêter

– car il n'y avait absolument rien à débusquer et rien
à déterrer, aucune révélation spectaculaire à traquer,
tout était transparent, exhibé en surface – mais uni-
quement pour filmer la vie quotidienne de ces anciens
combattants dans leur milieu naturel, dans leurs vil-
lages libérés et leurs petites maisons en pierre, aux
portes de leurs lieux de prières – et beaucoup de ces
hommes étaient sans emploi véritable depuis la fin des
hostilités, beaucoup d'entre eux ressassaient leurs
expériences passées au café du village ou à proximité
des vieilles lignes de démarcation, les temps héroïques
et les terreurs immenses – beaucoup d'entre eux
s'ennuyaient tout simplement, attendaient les pro-
chaines célébrations annuelles de la victoire pour
échapper un peu à la morosité de leurs vies maintenant trop bien rangées, presque insipides – et en effet
le jour des célébrations avait fini par arriver sous
l'œil de la caméra : le village était en fête, il y avait
des banderoles suspendues au-dessus de la grand-
rue, des drapeaux bariolés et des pluies de confettis
qui tombaient des balcons, une fanfare mobile et de
la musique diffusée par haut-parleurs – il y avait des
familles entières, des enfants, des vieux, des hommes
avec leurs fils assis sur leurs épaules, une foule agglu-
tinée tout le long du parcours de la parade, jusqu'à
la tribune surélevée où les discours devaient ensuite

être prononcés, c'était une foule animée et bon enfant, joyeuse et exaltée, que les anciens combattants suivis de près par la caméra aimaient à fondre dans tous les sens – et le spectateur du documentaire diffusé à l'époque dans une petite salle d'art et d'essai pouvait les voir, il pouvait ensuite voir ces anciens combattants massés sur le trajet de la parade et regardant avec un plaisir visiblement intense des centaines de femmes, des cortèges incessants de femmes vêtues de noir de la tête aux pieds et défilant martialement en direction de la place du village, armées de Kalachnikov qu'elles avaient croisées contre leur poitrine.

Il avait grandi de quelques centimètres et il était prêt. Il n'avait rien laissé au hasard, du point de départ jusqu'à la ligne d'arrivée, tout avait été prévu et organisé depuis les combles. Dans son sac à dos il y avait assez de provisions pour tenir plusieurs jours, du pain noir, des betteraves, de la viande séchée et des pommes de terre, il y avait du linge propre, un couteau de chasse, une corde, il y avait une boussole et une carte dessinée à la main avec des croix, des cercles, des noms, des échelles de distance, une signalétique complète pour se repérer à la sortie du village, s'engager dans les bons sentiers et avancer dans les bois, sans encombre, tout au long de son trajet. Il avait très peur de se faire démasquer à la frontière, peut-être de se trahir lui-même, de trembler au mauvais moment, de s'embrouiller dans ses réponses, il redoutait les conséquences d'une arrestation, terribles pour lui et terribles surtout pour sa famille. La peur d'être démasqué ou dénoncé ne le quittait sans doute jamais, elle orchestrait même chacune de ses pensées et chacun de ses gestes, mais maintenant il avait grandi et maintenant il était prêt. Sa mère l'avait vu s'éloigner lentement de la maison, elle pouvait encore entendre le bruit de ses pas dans la neige alors que sa silhouette avait déjà disparu derrière le premier bosquet.

La fabrication en série, notamment dans les usines de Russie centrale, avait immédiatement couronné le triomphe inattendu de l'AK-47 au concours interne. C'était à présent, selon les plus hautes autorités de l'État soviétique, l'arme de combat individuelle officielle de l'armée. Ainsi tous les soldats de l'Union soviétique, qu'ils viennent de Russie, de Sibérie orientale ou d'Asie centrale, qu'ils viennent des villes ou de la campagne, tous les soldats de l'armée du peuple

incorporés sous la même bannière communiste avaient dès lors eu droit au fusil d'assaut révolutionnaire, celui qu'ils auraient à utiliser dans leurs exercices militaires, leurs opérations de maintien de l'ordre et en cas de guerre contre l'ennemi.
Et l'ennemi avait maintenant un nom nouveau : l'impérialiste.

Nous le retrouvons dehors, au milieu d'une forêt de bouleaux, à une petite dizaine de kilomètres du village des déportés. Ses selles étaient liquides sur la neige. Il avait franchi tous les obstacles, la milice, les vérifications, l'attente, les regards suspects. Il avait senti à l'instant de sa libération que le secret qu'il portait désormais à l'intérieur de son intimité, dans la poche même de son manteau, ces faux papiers et ces faux permis qu'il avait fabriqués à la sueur de son front, ce dangereux secret le rendrait à l'avenir puissant dans les moments de doute et vulnérable dans les moments de triomphe. Mais cela, il l'avait senti confusément, sans images mentales précises, dans un brouillard grisant d'affects et de pensées informes.
Il avait poursuivi sa longue route dans le froid boréal, luttant contre les bourrasques, le corps

incliné vers l'avant, les yeux moites et plissés, pendant des heures il avait marché.

Il avait marché sans s'arrêter.

Au terme d'une journée de marche, il avait englouti tout un paysage, il avait pris ses projections de vitesse, il était déjà en avance sur lui-même. Nous le retrouvons dans une cabane en rondins abandonnée, tout au fond d'une forêt de mélèzes, débarrassé à jamais du stigmate infamant, enfin admis à la table du peuple soviétique. Il avait allumé le vieux poêle en fonte à son arrivée, piochant parmi la réserve de bûches entassées dans la cuisine, la pièce se réchauffait peu à peu, le givre et la buée coulaient des fenêtres. Il était maintenant assis sur une couverture pliée et dans la paume de ses mains ouvertes et fébriles, délicatement recueilli comme une corneille blessée : un pistolet automatique qu'il avait déterré de sa cachette par accident, quelques minutes plus tôt, en heurtant une latte irrégulière du plancher. Il touchait là pour la première fois de sa vie à une arme à feu et ça avait été alors comme un jeune chien découvrant son aboiement. Stupéfait par l'étrangeté de cette soudaine profération, mais pressentant qu'à travers elle il coïncidait avec sa nature, rejoignait sa destination.

Cette nuit-là, sa première nuit de jeune homme affranchi, il l'avait tout entière passée dans les rouages d'un pistolet automatique. Considérant ses formes sous tous les angles possibles, humant sa graisse intime et ses effluves métalliques, courant en pensée dans le tunnel de son canon, l'astiquant contre sa cuisse, contre son ventre, le déchargeant de ses munitions et le rechargeant, démontant ses pièces et ses ressorts et les remontant. Il ne s'était endormi qu'aux lueurs du jour, exténué par tout ce qu'il avait compris, par le long aboiement qu'il ne cessera plus de faire entendre.

Puisque l'Union soviétique devait au nom de sa survie lutter par tous les moyens envisageables contre l'adversaire impérialiste, parce qu'il lui fallait contrarier les appétits de ce dernier et endiguer sa progression en Europe, que ce soit par le biais de fauteurs de troubles du dedans ou de pressions militaires de l'extérieur, tous les pays frères se situant le long du rideau de fer et même loin derrière le rideau de fer avaient également eu le privilège d'adopter l'AK-47 pour leurs propres armées. Bien plus : la solidarité des membres du pacte de Varsovie était telle que certains de ces pays frères potentiellement inquiétés par les impérialistes de l'intérieur comme de l'extérieur, dont il convenait par la même occasion d'encourager et de stimuler le jeune appareil de production, avaient obtenu l'autorisation de fabriquer des fusils d'assaut AK-47, parfois avec de minuscules variantes, des variantes à peine perceptibles pour un profane, dans leurs usines locales.

À défaut d'un affrontement militaire direct dont l'issue aurait été comme nous le redoutions déjà à l'époque l'extinction totale de l'espèce humaine, la guerre entre la patrie du communisme et l'ennemi impérialiste s'était exportée en dehors des seules frontières européennes, elle s'était déportée un peu partout dans le monde sous la forme de luttes d'influence en coulisses et le plus souvent de conflits ouverts conventionnels opposant des forces militaires inféodées aux impérialistes du camp occidental et des forces révolutionnaires soutenues par la patrie communiste et les pays frères. Les obligations de solidarité et d'unité des peuples soviétiques envers les mouvements révolutionnaires du monde entier n'étaient pas limitées aux seuls besoins affectifs, moraux et idéologiques de ces derniers, mais touchaient également à leurs impératifs politiques et surtout militaires. D'où l'exportation généreuse puis l'émergence massive de fusils d'assaut AK-47 fabriqués dans les usines d'Union soviétique ou dans celles des membres du pacte de Varsovie, leur émergence dans des pays, sur des théâtres d'opérations et dans des poudrières aussi éloignées les unes des autres que l'Iran, la Corée, Cuba, le Vietnam.

Dénominateur commun à toutes les armées proches de Moscou de par le monde, l'AK-47 sorti de l'usine d'Ijevsk et des pays de l'Est avait été également fourni dès les années 1950 aux divers mouvements d'émancipation luttant non plus contre l'ennemi impérialiste américain et ses vils affidés fascisants mais contre les armées des vieux empires coloniaux européens, des empires coloniaux en Afrique, en Asie et au Moyen-Orient. L'AK-47 né de la bataille de Stalingrad, des plans quinquennaux et de l'ouvrière coiffée d'un fichu sur un champ agricole était plus qu'un fusil efficace favorisant un certain rééquilibrage des rapports de force sur le terrain militaire, il était le symbole brandi par l'exploité contre le capitaliste, par l'opprimé contre le colonisateur, plus largement par le faible contre le fort, il était l'étendard planétaire de la justice immanente et de la libération.

Pour la deuxième fois en quelques mois, il avait renoncé à l'Altaï, sa lointaine région natale, à la gare de triage où il avait projeté de travailler, dans l'attente d'une offrande du destin. Il avait sacrifié l'Altaï et il avait du même coup sacrifié son plan de route, la carte et les règles de conduite qu'il avait si patiemment élaborées dans les combles.

Il avait brisé ses premiers élans et avorté ses perspectives, comme naturellement et sans regrets, soudain convaincu de leur vacuité évidente, à la minute même où il avait possédé dans ses mains ce vieux pistolet dans la cabane.

Ce vieux pistolet noir qu'il conservait depuis lors sur lui, toujours dans la poche rapiécée de son pantalon en laine, au risque d'un possible séjour en prison, lui qui était alors déjà un faussaire, qu'il touchait sans cesse non pas comme on touche un talisman ou un fétiche quelconque, mais comme on touche une partie de son propre corps, une rotule, un menton, un lobe d'oreille. Pour s'assurer qu'ils sont effectivement là, au bon endroit, le plus souvent par simple habitude, par la récidive d'un geste à soi invisible et machinal.

Commençait alors pour lui dont les plans et les perspectives immédiates s'étaient en une nuit effondrés une période d'ahurissement et d'errance mentale, de vagabondage et de désœuvrement, au milieu des centres urbains et le long des grandes zones industrielles, sinon l'activité, presque exclusive, consistant à démonter et à remonter son pistolet en un laps de temps toujours plus bref, pour lui alors hagard et engourdi c'était une courte période de latence, de préparatifs souterrains, comme une façon inconsciente de refonder ses galeries intérieures, de les aménager en vue de l'étape d'après.

Il suffisait à n'importe quel spectateur parmi nous d'apercevoir les images à l'écran pour comprendre la situation : une armée régulière et puissante qui progressait sur le paysage plat et lumineux du bord de mer, avançant avec des transporteurs de troupe et des chars escortés de part et d'autre par des soldats vêtus de gilets pare-balles, de casques en kevlar et de lunettes de soleil Ray-Ban Aviator, tout cela comme un essaim inextricable, comme un rouleau compresseur ratissant systématiquement l'intégralité du territoire envahi et forçant surtout sa population terrifiée et même son bétail à fuir en panique sur les routes bombardées. Il suffisait de regarder les images en couleur diffusées à l'époque à la télévision pour reconnaître sans aucune difficulté que la seule force opposée à cette armée disciplinée, méthodique et sûre de sa supériorité numérique et technique, la seule force opposée à elle tout au long de son parcours s'incarnait dans ces quelques jeunes hommes sans tenue militaire précise, habillés en chemises à carreaux, en débardeurs blancs et en jeans évasés, ces jeunes combattants amateurs planqués derrière des voitures, perchés sur des toits ou allongés dans les vergers qui tiraient sur elle avec leurs seules Kalachnikov.

Dans le train qui le conduisait à la caserne des appelés, le premier à bord duquel il montait depuis la déportation, il ne pensait pas à sa mère. Elle n'était plus aussi présente dans son esprit, les souvenirs qu'il pouvait encore garder d'elle lui devenaient plus difficiles d'accès, éloignés et nébuleux, mais il continuait de l'aimer autant qu'avant. Il l'aimait toujours énormément et il l'avait quelques années plus tard enterrée dans un cimetière du village des déportés, tout près du caveau de son père, parce qu'elle était morte d'une longue maladie pulmonaire, c'est-à-dire du chagrin de ne l'avoir revu. Debout maintenant et le front appuyé contre la fenêtre de son compartiment il regardait les forêts de bouleaux et de mélèzes se reproduire à l'infini sous un ciel presque blanc, parfois entrecoupées de plaines arides et ingrates, parfois se heurtant et se jetant abruptement dans les eaux d'un lac embrumé, il regardait cette interminable suite de collisions et de silences prolongés à laquelle finit par se réduire le spectacle de la nature et il entendait le moteur en branle, sa puissance, sa régularité hypnotique, la traction et la rotation des roues, les cycles d'accumulation et d'expulsion de la vapeur, le dandinement des wagons dans les courbes et les virages, toute cette mécanique bruyante et cependant parfaitement coordonnée, et il s'était à un moment de son voyage rendu compte que ce rythme obstiné et imperturbable, régulier jusque dans ses variations, avec lequel le train des appelés de l'Armée rouge perforait et contournait les paysages était exactement calqué sur les battements de son sang.

Bien que parfait à plus d'un titre, l'AK-47 dans sa version d'origine avait été remanié à partir de la fin des années 1950, et le sera encore à plusieurs reprises tout au long des décennies suivantes, parce qu'à l'image de n'importe quelle machine fonctionnelle un fusil d'assaut court toujours le risque théorique de tomber en désuétude et de se voir ainsi impitoyablement ringardiser sur les plans technique et esthétique par une arme plus récente et plus efficace, surtout à une époque historique particulière où la politique de course aux armements de part et d'autre du rideau de fer avait engendré à des fins de prestige idéologique et stratégique quantité d'innovations militaires d'envergure s'amoncelant et s'invalidant parfois les unes les autres, bien que nettement supérieur en robustesse et en fiabilité à son tout nouveau concurrent américain livré sous le diminutif peu ragoûtant de M-16, l'AK-47 avait quand même eu à entreprendre une série de retouches et de modifications qui s'étaient avérées au final sans doute plus cosmétiques que véritablement substantielles, hormis le passage nécessaire au tout début des années 1960 d'un calibre de 7,32 à un calibre de 5,56, des sortes de ravalements de façade et de réfections internes qui n'avaient cependant en rien renié ou même ébranlé les grands principes fondateurs hérités

de la version de 1947. Bien au contraire, chacune
de ces déclinaisons et chacun de ces ajustements
conçus et produits pour nous dans des usines
d'Union soviétique, de Pologne, de Bulgarie, de
Roumanie et maintenant de Chine communiste
n'avaient eu de cesse de souligner en réalité les
qualités intrinsèques indépassables du modèle
original, comme en atteste d'une certaine
manière ce choix d'acronymes similaires avec
lesquels ils avaient été paresseusement désignés :
AK-74, AK-M, AK-100, AK-108, etc.

Et puis en même temps qu'il faisait ses débuts
dans l'armée du peuple, qu'il entamait son édu-
cation aux chars et aux blindés, qu'il maniait
tous les matins après ses exercices physiques
quantité d'engrenages, de pistons et de chenilles
mécaniques, en même temps qu'il apprenait les
systèmes de chargement et de propulsion et étu-
diait à la fois en théorie et en pratique les procédures de livraison complexes permettant à
une munition de calibre variable de voyager à
grande vitesse dans l'espace et d'atteindre une
cible de préférence humaine ou de provoquer
à défaut un maximum de dégâts matériels, à ce
moment essentiel de son évolution intellectuelle

où il s'initiait dans un éblouissement quasi
enfantin aux savoirs de l'ingénierie militaire,
il y avait eu la densification de la terreur et de
la police politique, les appels à la délation, la
propagande, le culte de la personnalité, il y
avait eu la traque effrénée des saboteurs et des
cosmopolites sans racines, l'épuration de l'élite
dirigeante et les grandes exécutions, les nouvelles vagues de déportation et la multiplication
des camps de travail. Et souvent la nuit, après
la douche collective et l'extinction des feux,
d'évidence trop exalté par ses activités diurnes
pour céder au sommeil, il composait des odes au
clair de lune célébrant la splendeur des tourelles
et la perfection géométrique des obus avant de
les réciter pour lui-même à voix basse dans le
silence de la chambrée. Ses épaules s'étaient peu
à peu élargies, on ne remarquait presque plus sa
petite taille, désormais il avait toujours le pantalon rentré dans les chaussettes.
On l'aimait dans la chambrée.
On l'appelait le poète.
C'était peut-être déjà en qualité de poète qu'il
avait remédié dans les derniers mois de sa déportation au problème récurrent du puits d'eau en
imaginant une pompe hydraulique artisanale

pour laquelle il avait reçu les remerciements pudiques de son père et les compliments répétés de son professeur de physique. Dès cette époque de l'adolescence tardive il avait imaginé un moyen très particulier d'endiguer la boue qui augmentait chaque printemps près des cultures et il avait également imaginé à cette même période si cruciale pour la formation de l'esprit une sorte de palissade coulissante protégeant l'enclos à bétail des attaques de loups et de renards. Et plus tard, longtemps après l'effondrement du mur de Berlin, il avait dans un registre analogue fait remarquer qu'il avait installé une porte blindée en bas de l'immeuble de son fils, car *que peut-on faire d'autre pour se protéger des délinquants ?*

Ces variations mineures dans les lignes, les couleurs et parfois dans les matériaux de l'AK-47 n'étant en définitive que des adaptations particulières, des dérivés locaux d'un même patron universel, d'une même formule irréfutable, il n'y avait aucune raison objective à ce que ces multiples déclinaisons ne puissent pas se juxtaposer les unes aux autres dans l'espace et dans le temps, à ce qu'elles ne puissent pas cohabiter ensemble paisiblement sur la totalité des zones de tensions et de guerre dans le monde – même si l'AK-47 dans ses trois premières moutures historiques demeurait probablement le modèle le plus répandu et le plus apprécié des soldats coiffés d'un casque sur les champs de bataille en raison des propriétés techniques que nous lui reconnaissions dès sa mise en service mais encore de sa dimension de plus en plus légendaire et de son indéniable *cristallisation en fétiche politique* – car quiconque la possédait dans ses mains et l'utilisait sur le terrain participait ou croyait participer de près ou de loin à l'histoire et à la mythologie commune de l'émancipation.

Au moment où des éclats d'obus allemands lui pénétraient le corps, sur le champ de bataille en Ukraine, il avait quelque chose d'un idiot solitaire sur une prairie balayée par le vent. Comme absent des combats apocalyptiques qui faisaient rage autour de son unité de blindés, oublieux de ses coordonnées, étranger au sifflement des balles et des mortiers, aux incessants départs de canon, au fracas des chocs, des chutes et des explosions, aux colonnes de fumée noire et de feu parmi lesquels il se tenait alors, ne pensant qu'à la fiabilité de l'appareil de comptage de tirs qu'il avait mis au point peu avant l'agression allemande et l'ouverture du front de l'Est. Il pensait peut-être aussi à la machine mesurant le fonctionnement des moteurs de chars dont un important général de l'infanterie avait ordonné la fabrication en série après l'avoir reçu dans son bureau, reçu et même officiellement félicité, lui, l'ancien déporté, le faussaire en sursis. Il pensait à une infinité d'autres problèmes mécaniques, peut-être au mouvement perpétuel de la montre qu'il portait depuis quelques semaines au poignet, mais sans doute pas aux combats, pas aux corps qui tombaient sans vie à côté de lui ou gesticulaient encore un petit peu dans la fange avant de s'éteindre. Sa haine des Allemands était pourtant immense, elle était même intarissable. Nul ne pouvait douter sérieusement de son authenticité, de la profondeur de son ancrage, de sa persistance dans le temps. Ceci est incontestable : il voulait combattre les Allemands, il voulait leur mort collective, il brûlait d'amour patriotique. Il en brûlait même plus ardemment que d'autres, de cet amour-là, parce qu'il avait ce zèle, cette servilité des enfants illégitimes, des derniers reconnus. Même lorsqu'il dormait à l'hôpital, abruti de somnifères et d'antalgiques,

inapte au moindre effort cérébral, il était toujours visité par le même cauchemar, par cette
même scène effroyable : lui perdu et courant
dans une forêt obscure sous les tirs nourris d'une
mitrailleuse germanique.

La propagation exponentielle de l'AK-47 pendant les trois premières décennies de la guerre
froide n'avait évidemment pas été la cause
unique, le seul facteur de transformation de
la morphologie et jusqu'au concept même de
guerre, mais elle avait été à la fois le compagnon
de route, la jauge fidèle et le vecteur privilégié
de cette importante mutation qualitative. Alors
que la guerre avait le plus souvent consisté au
long de l'Histoire moderne en une confrontation
armée entre des nations, des empires ou des pays
coalisés, entre des mouvements de libération
des peuples et des puissances colonisatrices, les
nombreuses guerres qui avaient éclaté à partir
des années 1950 n'opposaient plus forcément
insurgés et forces oppressives, qu'elles soient
locales ou étrangères, elles ne mettaient plus
toujours en scène des États distincts et rivaux
s'affrontant dans le respect d'une certaine ratio-
nalité stratégique mais deux, trois, cinq ou dix

parties divisées – parfois au motif de vieilles rancunes historiques ou d'opportunes crispations identitaires, parfois pour des enjeux politiques et géostratégiques qui les dépassaient largement, auxquels elles ne comprenaient pas grand-chose et dont elles n'étaient que les relais plus ou moins passifs, parfois tout cela ensemble, sans distinction possible, le plus certainement en raison de la disponibilité même des armes et de leur *implacable vocation technique* – d'un même pays, d'un même territoire, d'une même population autrefois unifiée et désormais dépecée, taillée et morcelée en deux, trois, dix ou quinze factions ennemies se livrant successivement ou simultanément bataille les unes les autres jusqu'à leur complète annihilation mutuelle.

Sur cette courte vidéo amateur ou d'apparence amateur qui circulait il y a un peu plus de trois ans sur internet il était possible de voir une poignée de soldats africains regroupés en demi-cercle dans un décor de taudis, de végétation tropicale et de terre humide, regroupés et s'esclaffant, certains debout et accoudés à un panneau en tôle rouillée, d'autres assis les jambes bien écartées sur leur chaise bleue rustique, s'esclaffant comme ça et de plus en plus bruyamment devant un singe marron, un petit chimpanzé plutôt à l'aise et assez enjoué, malgré l'agitation qui l'entourait, les rires, les voix qui s'élevaient un peu, les téléphones portables braqués sur lui – sur lui qui maintenant imitait son interlocuteur le plus proche en esquissant quelques timides et maladroits pas de danse qu'il avait ensuite abandonnés – et puis un des soldats en arrière-plan, qui avait jusque-là plutôt fait preuve de discrétion, s'était tout à coup levé de sa chaise pour déposer dans les mains du petit chimpanzé un AK-47 aussi lourd que lui et d'une taille à peu près équivalente à la sienne – et alors l'interlocuteur le plus proche, c'est-à-dire le plus entreprenant depuis le début de la séquence, le plus survolté de la bande et comme nous le devinons sans difficulté le plus abruti, se mettait à singer devant l'animal que nous ne voyions hélas plus dans le plan par ses gestes et par sa voix, par les secousses qu'il imprimait à son corps, l'action consistant à tirer en rafale : ce que le chimpanzé ne manquait pas aussitôt de reproduire, avec son AK-47 grand comme lui, arrosant d'abord le sol autour de ses pieds avant de redresser légèrement le canon du fusil et de lâcher une courte rafale à la ronde, sur les tôles rouillées et les chaises abandonnées des soldats partis en courant.

Il voyait des combattants de l'Armée rouge essai-
mer dans les ruelles d'une ville grise et dépeuplée
et il voyait ces mêmes combattants russes tirer
ensuite sur des grappes de soldats allemands en
faction. Il voyait la tête d'un officier allemand
sourdre timidement d'une tranchée ou d'un
blindé quelconque et ensuite il voyait une balle
se loger dans le front de cet officier allemand. Il
voyait des snipers allemands lâchement postés
sur le toit des immeubles et il les voyait ensuite
recevoir un projectile dans l'œil avant de dégrin-
goler tête la première de leur toit. Il voyait des
Allemands et il voyait des visages éclatés, en sang,
fendus et ouverts comme des roses. Il voyait
la cible allemande et il voyait sa destruction.
Lui manquait l'intermédiaire, l'indispensable
porteur, le véhicule qui réaliserait leur union
complète. Toujours immobile et alité, à en deve-
nir malade, maintenant il ne pensait plus qu'à
cela : concevoir le véhicule, concevoir l'arme
irrésistible. Celle dont tous les soldats soviétiques
devraient s'équiper, celle qui décimerait l'infanterie allemande. Alors il s'était mis à esquisser
des formes et des schémas, à dessiner des pièces
et des emboîtements, à effectuer des mesures
et des calculs de trajectoire, à dresser des listes

de matériaux et d'alliages possibles, parmi les brancardiers et les médecins et les infirmières affairés, dans le chahut permanent et les vagues de panique de l'hôpital militaire, à côté de ses camarades de dortoir amputés et estropiés dont il avait comme progressivement cessé d'entendre les gémissements de douleur et de respirer les odeurs corporelles, ces remugles d'organes gangrenés et béants, il accumulait les croquis. Mais avant la guerre déjà, avant que cette fièvre des croquis n'infuse en lui, les jours de permission, tout fringant dans son bel uniforme de l'Armée rouge, il faisait systématiquement la sortie du foyer de jeunes filles. De cette période d'insouciance aujourd'hui très lointaine, il avait dit avec ses propres mots à lui que *sans être un Don Juan, j'aimais les jolies filles. Mais ma très mauvaise mémoire visuelle me laissait une seule crainte : pourvu que je la reconnaisse demain matin !*

En parallèle à ce phénomène de segmentation croissante des populations d'un même pays en unités toujours plus enclavées et plus belliqueuses la transformation qualitative de la guerre moderne – dont l'AK-47 à présent fabriqué en Union soviétique, dans les pays de l'Est, en

Chine, en Finlande et en Israël continuait d'être sans conteste un des véhicules les plus influents, un des facteurs les plus aggravants –, la guerre moderne telle que façonnée depuis environ le milieu de la guerre froide, plus précisément depuis le déclenchement des conflits du Vietnam et plus encore du Liban, cette guerre nouvelle facilitée par la profusion des fusils d'assaut soviétiques a dans le même temps procédé à l'effacement graduel des barrières intellectuelles, morales et physiques séparant autrefois de façon absolument étanche le domaine civil et le domaine militaire, désanctuarisant en conséquence le premier pour le placer dans la ligne de mire du second, confondant leurs positions, échangeant même parfois leurs rôles. La guerre moderne se menait ainsi au milieu des civils, ils en étaient le décor naturel en même temps que la cible principale.

Dès sa sortie de l'hôpital à l'automne, amoindri et souffrant encore de l'épaule, il avait montré ses croquis et ses plans à la hiérarchie. On l'avait aussitôt envoyé poursuivre ses travaux dans une des meilleures usines du pays, on lui avait offert les conseils et l'assistance d'ingénieurs militaires aguerris, on lui avait mis à disposition une main-d'œuvre nombreuse et qualifiée. Ils étaient maintenant plusieurs camarades à collaborer ensemble sur ce projet d'arme décisive, à partir de ses propres intuitions et des croquis qu'il avait accumulés depuis son hospitalisation, mais il était d'assez loin le plus infatigable. C'était lui qui travaillait le plus longtemps à l'usine, jusque très tard dans la nuit, lui qui prenait tous ses repas sur place, lui qui dormait le soir dans le froid et l'inconfort de l'atelier, à même le sol graisseux. Les mains croisées derrière la tête, le nez badigeonné de cambouis.

Il était infatigable et sa blessure à l'épaule s'était vite résorbée, contre toute attente, il écrivait à nouveau des poèmes.

Sur le caoutchouc, la fonderie, les soudures.

Sur les femmes.

Les longs hivers russes s'étaient succédé sur ce même rythme de labeur forcené. Pas une minute il n'avait cessé de se consacrer aux progrès de son chantier. Jamais il n'avait hésité à tout reprendre depuis le début, à remettre en cause jusqu'aux fondations mêmes de ses travaux. Quand il s'embourbait, surtout dans les premières semaines, il se relevait, recommençait sur de nouvelles bases. Sans souffrir du moindre découragement, sans accuser la moindre baisse de régime. À des étapes différentes du processus de production, parfois tout près du but, il se voyait comme contraint d'apporter une dernière touche à l'ensemble, de procéder à une dernière révision, remplaçant un matériau par un autre, reconsidérant telle pièce du mécanisme de propulsion, reniant un choix de culasse ou un type de munitions. Il peaufinait, il aboyait. Tandis que le visage de l'ennemi s'estompait de son esprit.

Au bout de deux hivers il avait fabriqué un premier prototype et au bout d'un troisième hiver il avait fabriqué un deuxième prototype.

Sauf que la guerre était déjà terminée et l'Allemagne réduite à un champ de ruines.

Puis, au bout d'un très long et fructueux voyage, après quelques haltes et plusieurs escales prolongées sur à peu près l'ensemble de nos continents, de l'Asie et du sous-continent indien à l'Amérique latine, de l'Afrique noire au Moyen-Orient, apparaissant tantôt dans les mains des combattants progressistes de Beyrouth et tantôt dans celles des guérilleros sandinistes de Managua, s'accrochant lourdement à l'épaule d'un enfant soldat de la banlieue de Luanda ou se couchant sur les genoux d'un soldat khmer au repos, figurant même à présent sous une faucille et un marteau sur le pan gauche du récent drapeau du Mozambique, après cette vaste poussée, ce vaste mouvement de dissémination et de propagation à travers toutes les poudrières, les foyers de tension et les zones de conflits de la planète, pour la plupart aggravés sinon purement et simplement provoqués par la logique des blocs, par cette obligation systémique faite aux deux superpuissances de l'époque de se défier toujours hors de leurs propres territoires, sous peine de surenchère militaire culminant dans la destruction nucléaire de l'espèce, dans l'un de ces retournements ironiques de l'Histoire, l'une de ses méchantes ruses, l'AK-47 imaginé par un modeste mais inventif sergent de l'Armée rouge avait comme achevé sa grande tournée mondiale pour choir maintenant en un dernier effort d'expansion entre les mains des moudjahidin afghans, ces nouveaux ennemis tapis aux portes de l'Union soviétique, dans sa sphère d'influence la plus proche, le long de ses frontières les plus sensibles – presque des ennemis de l'intérieur.

Nous le retrouvons maintenant dans un des plus hauts lieux de l'industrie d'armement du pays, à la périphérie d'Ijevsk, capitale de la province d'Oudmourtie, en pleine conception de ce fusil d'assaut décisif auquel il songeait depuis la fin de la guerre, depuis l'échec de ses deux premiers prototypes. Il avait encore cet émerveillement dans le regard, cette ferveur toute juvénile devant les outils et les machines de son usine d'Ijevsk, mais quelque chose de nouveau se lisait à présent sur son visage, à travers la souveraineté de son front et de ses sourcils, dans l'apaisement de ses mâchoires, quelque chose comme une moissonneuse-batteuse ratissant un champ de céréales.

Le processus d'élaboration fut toutefois laborieux, et nombreux les obstacles à son achèvement.

Mais il tenait enfin le bon bout. Il avait compris l'échec de ses premiers prototypes, ses erreurs et ses retards, il avait pris le temps d'analyser ses faiblesses, cette fois-ci il avait mieux digéré les conseils qu'il avait reçus, il avait mieux tenu compte de ce qu'il avait recueilli pendant la grande guerre, sur le champ de bataille et ensuite à l'hôpital du front de l'Est, il avait entendu le désarroi technique des soldats, il avait entendu leurs doléances et il connaissait leurs besoins.

C'était comme si son bagage sensible et le savoir pratique qu'il avait amassé tout au long de ses années de formation dans un chaos de sources et de sédimentations éparses ne pouvaient déboucher sur autre chose que ce fusil d'assaut révolutionnaire.

Comme si la longue histoire de l'armement et l'expérience immémoriale des armes partout dans le monde avaient toutes deux rencontré en lui un conduit préférentiel par lequel se reproduire et prospérer.

Aboyant jour et nuit dans son atelier d'Ijevsk, maintenant il rejoignait non seulement sa destination individuelle, mais celle de sa meute tout entière, celle de son espèce.

Aux images traumatiques de jeunes soldats américains rapatriés dans leur cercueil depuis les bases militaires du Vietnam étaient venues se succéder en un sanglant souci de symétrie historique les images de jeunes soldats soviétiques tués, blessés et humiliés par les irréductibles combattants des montagnes afghanes. La perte de plusieurs milliers de ces soldats russes tombés dans les opérations de harcèlement constant et les innombrables traquenards mitonnés pour eux par des moudjahidin pareillement pourvus de fusils d'assaut AK-47 avait constitué une étape décisive, sans doute même la première, dans le processus de démantèlement de l'empire communiste ; ces pertes accumulées dans les rangs de l'Armée rouge étaient le signe manifeste d'un soulèvement de l'organisme soviétique contre lui-même, comme si la simple présence de ces armes parmi les ennemis de l'intérieur afghans contenait déjà la promesse biologique d'un cancer à venir. Il y avait aussi dans l'humiliation de cette guerre perdue d'avance contre ces insurgés musulmans quelque chose de l'ordre du basculement symbolique, de la perte d'aura idéologique, puisque l'arme jusque-là brandie pour l'affranchissement des peuples était désormais en partie employée à l'asservissement et à la domination de ces peuples : la part émancipatrice de l'AK-47 avait été dès lors comme subrepticement retirée aux mouvements progressistes et laïcs pour être peu à peu allouée à des forces politiques se réclamant du conservatisme et de la religion – et la révolution islamique se déroulant presque au même moment en Iran où circulaient aussi des milliers d'exemplaires de l'AK-47 apportait à cet égard la confirmation de ce basculement à une échelle encore plus importante, à l'échelle d'une nation tout entière – la redistribution symbolique se concluant enfin tout juste quelques années plus tard avec la formation du parti de Dieu libanais, groupe armé soutenu par la nation islamique iranienne alors en guerre contre l'agresseur laïc irakien, et dont le drapeau jaune vif exhibe en son centre une Kalachnikov couleur vert bouteille.

Ils étaient deux soldats âgés d'une vingtaine d'années en tenue camouflage désert – et nous n'avions aucun moyen de savoir s'ils s'étaient perdus tout seul dans cette zone, pris en embuscade, ou s'ils avaient été orphelins de leur unité attaquée une ou deux heures plus tôt par des résistants locaux, peut-être des fidèles du dictateur déchu et pendu, peut-être des membres d'une milice islamiste – les images parfois coupées et souvent floues ne nous disaient strictement rien de tout cela, nous n'avions aucune connaissance de ce qui avait précédé la scène, de la manière dont elle s'était construite, son contexte et ses circonstances, nous ne savions rien : nous n'avions d'abord aperçu que le dos d'une poignée d'hommes courant sur une route en goudron et parsemée de pylônes électriques au milieu du désert. Nous n'avions pas encore tout à fait rattrapé ces hommes se montrant à nous encore de dos alors qu'ils ralentissaient leur course à l'approche de quelque chose qu'il nous était à ce moment-là du reportage impossible de distinguer, parce que les hommes de dos en barraient l'accès, parce que les images n'étaient pas nettes : peut-être s'agissait-il d'un barrage, d'une voiture renversée, d'un pylône en treillis arraché et effondré quelques minutes plus tôt, peut-être s'agissait-il d'un glissement de terrain − c'était en dernière instance, maintenant que nous avions rattrapé les hommes dont nous entendions soudain les cris d'excitation, c'était une voiture couchée sur la route, un véhicule militaire au pare-brise explosé, dont les fissures tachées de sang formaient comme une large toile d'araignée − et il y avait un soldat en tenue camouflage désert allongé sur l'asphalte brûlant, inerte et sans doute déjà inconscient − tandis que le deuxième dont nous pouvions entendre les faibles râles venait d'être brutalement tiré par le col hors du véhicule − et tous les deux étaient ensuite traînés sur le sol par une dizaine d'hommes en colère et de plus en plus galvanisés vers un pylône au pied duquel ils avaient chacun reçu à plusieurs reprises la crosse d'une Kalachnikov en plein visage avant d'être soulevés et pendus.

Elle était sortie en pièces détachées du four-
neau et montée ensuite par ses soins. Il avait été
très minutieux dans son assemblage, placide et
appliqué, prenant son temps pour aligner les
composants sur sa planche de travail, les aus-
culter longuement sous la lumière avant de les
emboîter enfin tous ensemble. Il était seul dans
son atelier et il la tenait comme un sabre entre
les mains, magnifique et prête à l'emploi. Après
plusieurs minutes d'observation clinique, de
retenue, il avait fini par exécuter le geste man-
quant, le geste d'appropriation ultime, celui de
poser sa joue contre la crosse en bois, et il avait eu
alors la sensation d'avaler un mélèze.
Elle était magnifique dans ses lignes et ses
proportions parce qu'elle était en tout point
conforme à ce qu'il avait imaginé, à ses croquis et
à ses travaux préparatoires, parce qu'elle était la
réponse parfaite aux réclamations des soldats sur
le champ de bataille et à l'hôpital, comme une
matérialisation unique de leur parole collective,
et bien plus que cela : de leurs humeurs secrètes,
de l'expression de leurs visages, de l'état de leur
corps, de tout ce qui excédait les possibilités de
la parole et échouait en dehors du territoire de
la langue.

De retour dans son logis cette nuit-là, sombre et vétuste, il n'avait écrit aucun poème. Il était sans doute déjà fier de ce qu'il avait accompli mais il n'avait pensé à rien de particulier. Il n'avait pensé ni à sa famille, ni aux impérialistes, ni à la patrie soviétique. Il s'était simplement efforcé de ressusciter dans sa bouche cette sensation du mélèze surgie plus tôt au contact de la crosse en bois, sans y parvenir.
Et il n'y était jamais parvenu depuis.

L'affaiblissement de l'Union soviétique, malgré ou à cause de la Perestroïka du secrétaire général Gorbatchev, son affaiblissement déjà annoncé en Afghanistan par le retournement physique et symbolique de son arme fétiche contre ses propres soldats, cette déliquescence irrémédiable du pouvoir central avait comme nous le savons aujourd'hui frayé la voie à un effondrement contagieux de toutes les démocraties populaires d'Europe de l'Est et d'ailleurs, à l'exception de quelques nations encore étrangement mira-culées, suivi pour finir par un écroulement de l'Union soviétique elle-même. L'acte de décès du bloc communiste combiné à la démobilisation morale et au désœuvrement de ses forces armées avaient notamment eu pour effet mécanique de libérer presque du jour au lendemain l'accès à plusieurs centaines d'arsenaux militaires comportant entre autres trésors des réserves et des stocks faramineux de fusils d'assaut et de munitions auparavant placés sous le strict contrôle des États, de même que d'attiser tout aussi mécaniquement à l'intérieur de certains de ces États désormais déstabilisés et même en voie de décomposition de vieilles haines communautaires, religieuses et ethniques jusqu'alors maîtrisées et étranglées par la camisole communiste. La Yougoslavie artificiellement cimentée pendant des décennies par la main de fer de son dirigeant dit charismatique Tito figure de manière exemplaire parmi ces pays disloqués parfois dans l'horreur et les bains de sang après la chute du régime communiste – des pays qui s'étaient transformés une fois les éventuelles purifications ethniques arrêtées, la guerre civile terminée et les armes enfin déposées en une large plate-forme de pillage, de distribution, de revente et d'exportation mondiale de fusils d'assaut Kalachnikov anciennement produits sur place ou en provenance des usines d'armement des ex-pays frères.

Elle était entrée un matin dans son bureau, petite comme lui et le corps plantureux, et elle était toute rouge d'embarras, et immédiatement il était tombé amoureux d'elle. Il l'avait aimée au premier coup d'œil et avant de l'enterrer par une journée de tempête polaire dans le cimetière de la ville d'Ijevsk, à quelques kilomètres de l'usine d'armement où ils s'étaient ainsi rencontrés, un matin où il s'attendait plutôt à voir arriver une vieille dame revêche et asséchée, il lui avait fait pas moins d'une demi-douzaine d'enfants, parce que c'était comme ça à l'époque : on enfantait déjà un peu moins large que ses parents.

Voici un fait historique : sa femme était selon ses propres mots *très gaie, très sociable* et leur maison était *très joyeuse, très hospitalière*. Dans leur chaleureux appartement, ils s'étaient aimés longtemps et ils avaient élevé leurs beaux enfants, dont deux avaient été enterrés peu après leur naissance, ils avaient entretenu une vie mondaine constante, honnête, ils avaient accroché des photos de famille et des décorations sur les murs. Plus tard, ils avaient eu droit à un plus grand logement, une maison avec un jardin à la hauteur de son rang et de ses décorations, mais l'esprit du foyer demeurait le même, joyeux et hospitalier.

Il aimait son foyer, son épaisseur et son organisation cohérente, il aimait s'occuper de sa maison. Pendant ses journées de repos, quand il ne travaillait pas non plus dans son refuge sous les combles, il ne rechignait jamais à réparer la tuyauterie ou à calfeutrer les fenêtres, il prenait même plaisir à déblayer la neige devant sa porte en hiver et à cultiver ses betteraves et ses pommes de terre au printemps. Il s'enthousiasmait surtout pour la construction des clôtures, des petites niches en bois, des pompes hydrauliques, pour la réfection des cheminées et des toitures.

Surtout il chassait les nuisibles. Embrasait les rongeurs de la cave. Embrasait les insectes.

D'après les journaux de ce mois-là il s'était préparé pendant plusieurs jours et plusieurs nuits, s'exerçant très tôt le matin en forêt, se rendant à midi et le soir autour du lieu qu'il avait choisi, anticipant et répétant sans cesse le déroulement de la scène dans son imagination. Ce n'était pas un être solitaire, un être reclus et isolé, quelqu'un que l'on serait en mesure de soupçonner, de façon rétrospective, comme nous le faisons d'habitude. Il avait fait ses dernières courses seulement la veille. Le lendemain, frais et en forme, il avait enfilé son bas de survêtement gris, son pull bleu marine et sa parka. Il portait un étui pour violoncelle noir à la main. Il avait pris le métro, puis le tramway. Des gens lui avaient adressé la parole au cours de son trajet, des gens à qui il avait répondu aimablement, avec un sourire. La place ensoleillée était encore vide, livrée aux pigeons. Il l'avait traversée lentement, jetant ses regards sur les boutiques tout autour, puis il avait contourné la vieille fontaine. Par un escalier de service qu'il avait emprunté pour la première fois la semaine précédente, il était monté sur le toit de la boulangerie – et il avait attendu, il avait attendu qu'il soit midi, qu'il soit midi trente et que l'heure des pauses déjeuner dans les bureaux, les classes, les magasins, les administrations arrive enfin, il avait guetté le moment où la population allait se répandre comme tous les jours dans cette partie effervescente de la ville, sur cette place qu'il surplombait depuis le toit. Et quand il les avait vus effectivement sortir en nombre et se diriger vers la place, pour la traverser ou s'y asseoir avec un sandwich, il avait sorti son AK-47 de son étui pour violoncelle noir et il avait tiré sur les passants, dans le tas.

La mort du père du peuple l'avait anéanti. Sa mort était comme une soudaine vague de déboisement dans la structure de son être. Il avait été prostré et inconsolable pendant plusieurs jours d'affilée, pleurant dans son bureau, pleurant dans les bras de sa femme, pleurant même devant ses enfants. Il ne parlait plus, restait des heures assis dans son fauteuil, avec un fusil de chasse sur les genoux. Il imaginait la patrie envahie par les armées impérialistes, il la voyait détruite, aspirée par un trou noir, à jamais ensevelie sous l'écorce terrestre.

Il ne comprenait pas le procès qu'on commençait à instruire de ces années. La négation des progrès enregistrés, le sauvetage héroïque et le triomphe de la patrie, la solidarité nouvelle des pays frères. Il ne comprenait pas que ses propres ouvriers puissent se concerter entre eux et le dénoncer, lui, pour culte de la personnalité. Cette injustice. Lui : le paysan parti de rien, l'ancien banni auquel le soldat russe doit aujourd'hui son plus fiable compagnon.

De cette incompréhension était né un texte singulier. Non pas une ode à la gloire des tourelles et des soudures, pas plus qu'un poème chantant la belle poitrine nourricière des ouvrières agricoles, mais une sorte de lamentation intime, des vers exprimant toute sa peine personnelle, sa tristesse, son sentiment de solitude indépassable :

J'ai tout pesé scrupuleusement
Dans la vie je n'ai plus d'appuis
Mon cœur ne bat plus normalement
Mon corps entier est engourdi.
Je suis déjà comme enterré
Autour de moi tout se défait

C'était une période sombre, un temps de désespoir et d'incrédulité.
Mais il avait passé l'éponge.
Il avait pardonné.
Parfois il rêvait de retourner en Sibérie, de revenir non pas au village de déportés mais à la forêt et aux grands bois, de remiser tout ce qu'il avait vécu depuis son évasion dans un coin obscur de son esprit et de courir, de s'éprouver simplement parmi les bouleaux et les étangs, dans la neige avec les cervidés et les loups, de guetter peut-être l'apparition d'un ours brun en plein été, de l'épier accroupi derrière un buisson et de rêver à une vie en sa compagnie, à sillonner les steppes vertes et les bois en quête de nourriture, d'un rocher

frais et confortable où s'affaler dans la brise; il rêvait parfois de tout cela, dans sa maison et pendant ses heures de travail à l'usine, de ce retour à une forme de vie primitive, presque organique, au ras de ses irruptions les plus abruptes et les plus violentes, une vie rabotée par rien et hermétique à toute espèce de civilisation; il en rêvait assez souvent et pourtant il revenait toujours à ses culasses, à ses ressorts et à ses pistons, avec un entrain comme chaque fois décuplé, parce que c'était peut-être ici, dans l'usine d'armement, qu'il s'approchait le plus de cette vie sauvage.

L'effondrement de l'empire soviétique et le démantèlement du pacte de Varsovie avaient par conséquent inauguré cette séquence historique instable et imprévisible pendant laquelle les anciennes démocraties populaires cherchaient à entrer peu à peu dans la démocratie libérale ou plus rapidement pour certaines d'entre elles dans la guerre civile, une période pendant laquelle cette Kalachnikov qui leur servait à la fois d'instrument de défense militaire et de vitrine idéologique itinérante était entrée pour sa part de plain-pied et sans possibilité de retour en arrière dans la logique de la marchandise pure.

C'est-à-dire qu'elle n'était plus seulement (et ne l'est toujours pas) contrôlée par des États qui en régulent la production, l'exportation commerciale, le recyclage répété ou le don fraternel en fonction de leurs objectifs géostratégiques, politiques et même platement économiques, mais qu'elle était maintenant (et le reste encore à ce jour) livrée par différentes entités privées – des fabricants plus ou moins agréés, des vendeurs et des revendeurs, des trafiquants, tous ces protagonistes agissant pour leur compte propre ou parfois encore pour le compte des États – à la loi économique du marché libre : une loi sans restriction morale aucune et sans idéologie structurante sinon celle, variée dans ses formes et ses procédés mais monolithique dans ses aspirations, de la prolifération constante de la marchandise et de la maximisation du profit, soit en l'espèce, pour ce qui concerne l'AK-47 : *la perpétuation des conditions permettant sa production et son écoulement.*

Entre l'écriture du poème mélancolique et l'enterrement de sa femme il y avait eu dans le désordre la livraison d'une nouvelle version du fusil et ensuite d'une autre, la naissance de son

premier petit-fils, l'avancement hiérarchique, la propagation des rafales dans les forêts et les rizières du Vietnam, la députation à la Douma, la lente mortification brejnévienne, le déclin économique, les premiers tirs dans les camps palestiniens de Beyrouth. Surtout il y avait toujours eu pour lui qui entrait déjà dans la légende ce souci permanent, ce souci humble et pour ainsi dire rural de reprendre inlassablement son ouvrage, malgré son irrésistible succès planétaire, de toujours reprendre son fusil d'assaut et de le développer sans cesse pour le rendre toujours plus fiable, toujours plus simple et plus beau que les autres. C'était pour lui une machine qui devait fonctionner impeccablement dans n'importe quelle configuration climatique et géographique et c'était une machine qui devait également rester agréable à regarder, toujours élégante et racée, quelles que soient les mains qui la manipulent.
Simplement le goût du travail, la fierté du travail.
Il n'y avait pas de béance.
Ce n'était pas un manque à l'intérieur de ses parois mentales, quelque chose d'affamé dans son corps et d'insatiable, qui réclamerait de lui qu'il le nourrisse sans arrêt et qu'il le comble.

Il n'avait jamais rien collectionné. Ce n'était pas une béance primordiale, un vide sans fond qui le faisait se réveiller aux aurores pour aller développer son fusil d'assaut avec ses ouvriers, qui l'accaparait des heures durant à l'usine et en dehors de l'usine, qui l'empêchait de rentrer chez lui auprès des siens et qui l'amenait à négliger sa femme et ses enfants.

Il y avait peut-être ce vide.

Bien des années plus tard, avançant à grands pas vers l'âge de la retraite, il avait conçu de nouvelles méthodes de régulation radicale des nuisibles, même des insectes et des rongeurs, il avait fabriqué au prix de plusieurs mois de réflexion et d'expérimentations pratiques toute une batterie de pièges ingénieux et incontournables pour exterminer les générations de renards qui souvent lorgnaient les volailles encagées derrière la maison, éloigner les grands cervidés de son potager et surtout éradiquer le peuple de taupes qui proliférait dans son jardin.

Parce que *dans tous les cas*, avait-il dit, *il faut respecter la loi.*

À la différence d'autres produits échangés dans le monde la marchandise Kalachnikov fraîchement embarquée dans la formidable aventure du capitalisme ne souffre jamais d'un problème de rareté et de pénurie, parce que sa production aujourd'hui officiellement élargie à une quinzaine de pays sous licence ne s'est à peu près à aucun moment ralentie depuis sa création il y a bientôt soixante-dix ans, et parce que les surplus gigantesques hérités de l'époque de la guerre froide, ou entassés dans des usines de production actuelles, ou récupérés dans d'anciennes zones de conflits comme les Balkans ou bientôt l'Irak lui garantissent une présence ininterrompue sur le marché concurrentiel de l'armement – et surtout une présence diversifiée, avec de larges gammes de modèles, des dérivés et des variantes adaptés à tous les goûts des usagers. Car ces quantités colossales et facilement livrables de Kalachnikov ne nuisent en rien à ses attraits et à sa séduction pour ainsi dire esthétique, lesquels demeurent absolument intacts ; elles n'affectent pas non plus à la baisse sa demande à travers tous les continents – au contraire même puisque son prix très abordable, pouvant en effet se négocier dans certaines régions d'Afrique par exemple et pour certains modèles plus ou moins anciens autour d'une cinquantaine de dollars américains pièce, son vil prix participe de la nature même de sa demande : c'est justement en raison de sa grande disponibilité et de son accessibilité aux portefeuilles les plus modestes que la Kalachnikov résiste aussi bien à la concurrence des autres fusils d'assaut et qu'elle peut surmonter sereinement les tassements accidentels et passagers du nombre de conflits armés dans le monde. L'AK-47 représente en quelque sorte la marchandise idéale : jamais dépréciée bien qu'abondante et impérissable.

Le soir où son portrait en noir et blanc avait été réalisé, dans cet uniforme en laine saturé de rubans et de médailles de toutes les couleurs, il s'était auparavant promené dans les rues ensoleillées de Moscou, il s'était assis quelques minutes dans une petite allée fleurie du parc Gorki, à regarder des enfants jouer au ballon de l'autre côté de la pelouse, il avait apprécié la sobriété des volumes et la qualité des rangements de la coopérative où il avait acheté des chaussures à sa femme et un chalumeau soudeur pour lui-même, il avait serré des mains dans des palais historiques et il avait échangé des mots avec des généraux et des membres du comité central, il avait la certitude que la mère patrie triompherait bientôt des impérialistes, que la grande armée du peuple était plus que jamais invincible, que la capitale soviétique était imprenable et que la salle de réception où il devait être pris en photo était elle-même indestructible.

Et c'était pourtant lors de cette soirée-là, dans cette salle de réception suintant jusque dans ses plinthes et ses poignets le prestige du pouvoir, au milieu des autres camarades constructeurs honorés comme lui par la patrie reconnaissante, à ce moment capital de sa trajectoire d'homme soviétique où ses épaules n'avaient jamais été aussi larges et aussi puissantes, beaucoup plus larges que le cadre photographique qui devait les contenir et les représenter pour l'éternité, qu'il avait éprouvé dans son ventre cette impulsion, ce désir inattendu et surtout irrationnel de confier aux généraux de l'armée l'entourant alors de leur affectueux respect ce crime de falsification dont il s'était rendu coupable à l'adolescence.

Pourtant rien n'était sorti de sa bouche ce soir-là, aucune confession, aucun mot malvenu. Il avait assez vite retrouvé ses esprits, sa capacité de dissimulation et d'oubli, dès que le photographe officiel avait pénétré avec son appareil noir et ses pieds dans la salle de réception.

Ce soir-là il s'était tu, tout sourire, il s'était laissé photographier parmi sa meute.

Toutes les opérations de production, de stockage, de vente et de revente de tous les modèles de l'AK-47 présents sur le marché mondial sont effectuées depuis les années 1990 par une multiplicité d'acteurs reliés entre eux parmi lesquels nous pouvons compter les gouvernements officiels, les marchands autorisés et les trafiquants, les contrefacteurs et les producteurs sauvages, les négociateurs homologués et les courtiers plus ou moins douteux – tous ces intervenants publics et privés travaillant parfois l'un pour l'autre, main dans la main, à l'instar du ministère de la Défense américain s'approvisionnant en ex-Yougoslavie derrière le paravent d'entreprises intermédiaires chargées aussi de la livraison des AK-47 vers l'Irak occupé, vers le milieu des années 2000, tous ces acteurs responsables de la fabrication, de la distribution et du transport des Kalachnikov ont recours à des canaux légaux et moins légaux, élaborent des montages complexes et empruntent des circuits d'acheminement de plus en plus sophistiqués, tellement complexes et sophistiqués qu'ils en deviennent abstraits et indétectables, mobilisent aussi bien des sociétés de fret et de transport aérien que des banques offshore ou des opérateurs maritimes, tout un ensemble de procédures qui remplissent à la perfection leur mission d'écoulement continu de la marchandise Kalachnikov auprès de ses acheteurs aux quatre coins du monde ; par leur remarquable ingéniosité, par leur hardiesse conceptuelle et pratique, ces systèmes savants de vente et de stockage, de rachat et de revente, de recyclage, de déplacements et de distribution sans entraves œuvrent par la même occasion à l'élargissement de l'idée même de circulation, ajoutant à cette dernière un possible supplémentaire et inventant pour elle des chemins jusque-là insoupçonnés : car de même que la simple disponibilité d'une arme conduit nécessairement à son usage, de même la simple possibilité d'un canal de circulation aboutit à son emprunt, c'est-à-dire à la livraison d'armes, à l'écoulement métronomique et paisible de la marchandise – ainsi, plus que la lutte antifasciste et le sauvetage patriotique, plus que l'insurrection et le combat pour l'émancipation des peuples, la Kalachnikov de l'ère capitaliste contemporaine charrie sans doute avant tout

les images de l'idéologie qui désormais l'habite :
les images de la disponibilité et de la circulation
sans entraves – et ce bien qu'elle soit grimée et
parce qu'elle est grimée en icône publicitaire
de la contestation (d'une contestation pour
elle-même, adossée à rien, d'une contestation
sans objet) et plus encore de la criminalité la
plus clinquante – une icône de la contestation
pop et du gangstérisme qui pénètre le langage
lui-même, qui transpose les gestes, les codes et
les imageries de ces derniers dans la langue, ces
attitudes d'intimidation chahuteuse de qui porte
une arme à la ceinture – une transposition qui
macère un temps dans les marges de la langue
avant se répandre peu à peu au reste de ses tissus,
qui se répand et se retrouve par exemple dans la
bouche d'un ministre français déclarant avec un
ton très spécifique fait de cabotinage arrogant,
d'inconscience et de délire de toute-puissance :
*Le président a raison, les médias, il faudrait les
passer à la Kalachnikov.*

*L'enfant que l'on pouvait distinguer à droite sur
la photo parmi ses frères et sœurs faisait la queue
comme beaucoup d'autres habitants de ce quartier
de la ville qui profitaient de la trêve inespérée pour*

sortir quelques heures de leurs terriers sombres et empoussiérés et s'acheter des provisions, et l'enfant s'impatientait depuis un certain moment déjà, peut-être vingt minutes à l'ombre et dans la fraîcheur matinale, il attendait avec exaspération que son tour arrive enfin, parce qu'il commençait à avoir des fourmis dans les jambes, et maintenant il n'avait plus que quatre ou cinq clients devant lui tandis que la file n'en finissait plus de s'allonger, des gens mal rasés sortant de leurs abris et se précipitant en direction de la boulangerie, et à un moment surgissait de nulle part un garçon sans doute un peu plus âgé que lui, d'un an ou deux tout au plus, il portait un pantalon bleu marine et des tennis en tissu blanches, et le gar-çon grillait absolument tout le monde en bousculant dans sa marche déterminée les clients fatigués dont la hanche ou le coude dépassait de la file d'attente, et il posait ensuite souverainement son AK-47 sur le comptoir, sous le nez du vieux boulanger, exigeant d'être servi dans la seconde.

La multiplication des agents privés du secteur de l'armement, à compter de la chute du bloc communiste, son accaparement par des entités légales et parfois illégales déversant des volumes monstrueux d'armes de combat individuelles sur le marché mondial s'accompagne par ailleurs d'un mouvement de privatisation croissante de la violence légitime, dans nos imaginaires et dans nos pratiques collectives, elle s'accompagne d'une nouvelle mutation qualitative de la guerre, son glissement vers la notion tertiaire de prestation de service – car ce ne sont plus seulement les armées régulières, ni ce qui reste des mouvements de libération, ni même les factions miliciennes d'un conflit civil qui usent de cet outil exceptionnel pour parvenir à leurs fins stratégiques et politiques, ce sont maintenant en effet des entreprises privées, tendues naturellement vers la seule réalisation de profits, qui fournissent à des commanditaires aussi bien publics que privés des services spécialisés dans le secteur de la violence et de la dissuasion armées, des prestations telles que la guerre en bonne et due forme, les opérations d'occupation et de maintien de l'ordre, de contrôle des populations et de protection des personnalités. Ce que l'on désignait à une époque encore récente par mercenariat – cette activité alors marginale et honteuse, fondamentalement illégitime – s'est ainsi par la grâce de cette mutation structurelle débarrassé de sa connotation péjorative pour s'exercer aujourd'hui avec la dignité et la respectabilité de n'importe quelle entreprise capitaliste cherchant à diversifier ses offres et ses compétences, à augmenter son carnet de commandes et à engranger un maximum de profits.

Personne ne s'est jamais vraiment aperçu de sa petite taille. Il a enduré une déportation en Sibérie, une blessure de guerre, des maladies graves et des pertes de proches. Il a encaissé la mort du père du peuple. Il a encaissé la mort de sa femme et la mort de ses propres enfants. Il a survécu à toutes les révolutions de palais, à tous les changements de contextes et de politiques, à la déstalinisation et au raidissement, au gel et au dégel, à la déliquescence de l'appareil militaire et à la liquéfaction du pouvoir central, il a même survécu à l'effondrement du régime dont il avait été l'un des principaux fleurons, l'un des plus éloquents symboles. Il a enterré le siècle. Il a récolté toutes sortes d'honneurs civils et militaires, tout au long de sa vie, il a obtenu des postes de pouvoir, une reconnaissance planétaire, une sérénité et un relatif confort matériel. Un musée porte son nom, protège sa mémoire, conserve la totalité de ses inventions. Il a voyagé dans plusieurs pays, un peu partout dans le monde, d'abord dans les pays frères, ensuite au-delà du rideau de fer, notamment en Allemagne, notamment en Amérique. Il a aimé des femmes. Il a exterminé des centaines de renards, de taupes et de marmottes, avec des moyens de plus en plus imparables et sophistiqués, il a incendié des guêpes, des moustiques, des cafards, des araignées. Il a blindé des portes, construit des clôtures. Il a survécu à tout et a beaucoup obtenu, mais rien de ce qui est grisant n'a pu l'étourdir et le détourner de sa tâche, rien dans les tumultes et les remous du dehors n'a pu étouffer en lui cette nécessité presque impersonnelle de persévérer dans ses armes.

À observer maintenant une carte répertoriant pour nous les usines de fabrication, les arsenaux et les centres de stockage, les zones de conflits et les routes officielles ou clandestines de la distribution des armes, de ces quelque cent millions de Kalachnikov certifiées ou contrefaites inondant le marché mondial, sans qu'aucune réglementation et qu'aucun contrôle sérieux ne vienne encadrer leur circulation, leur circulation libre et effrénée, à observer les trajets compliqués et les circonvolutions de ce flux incessant de

Kalachnikov sur le marché, il devient encore plus aisé de comprendre que ce fusil d'assaut imaginé par un paysan russe bientôt centenaire n'épargne aucun continent et aucune région, que sa dissémination forme un réseau d'échanges de plus en plus dense et touffu, à l'image de n'importe quelle autre marchandise d'envergure planétaire, d'une boisson gazeuse, d'un téléphone mobile ou d'un produit immatériel. Cette œuvre de colonisation méthodique, de maillage serré et systématique que l'on observe sur la carte noircie et surchargée peut donner de prime abord une impression vertigineuse d'unification du monde, comme si la circulation de la marchandise avait reconfiguré notre géographie globale pour en faire une surface plate, lisse et monochrome; mais cette impression est évidemment fallacieuse, parce que la marchandise AK-47 ne travaille au contraire qu'à la fragmentation permanente des territoires, à leur fractionnement en portions, en parcelles toujours plus réduites et antagonistes sur le modèle de la guerre civile infinie – et ainsi chaque ville, chaque quartier, chaque pâté de maisons et chaque immeuble peut pour des raisons aussi diverses qu'irrationnelles faire l'objet d'une *fixation en territoire*, d'un territoire à occuper, à surveiller et à défendre, c'est-à-dire d'un débouché potentiel pour les fusils d'assaut AK-47.

Il est bientôt centenaire, il est large dans son uniforme de l'Armée russe. Il a légué à son fils le soin de protéger et de perpétuer son patronyme, un patronyme illustre et partout respecté. Il a férocement combattu pendant ces dernières années la contrefaçon incontrôlable de son fusil d'assaut.

Il a survécu à tout, nous l'avons dit, et il a longuement aboyé. Il a aboyé sans regrets, sinon celui-ci :

Je ne compte plus les innovations originales qui auraient mérité d'être perfectionnées et qui sont parties à la casse, à la refonte. C'était tellement bête de ne pas les garder ! C'est ainsi que pour récupérer quelques kilos d'acier, on a irrémédiablement appauvri l'histoire des armes.

Tournant la page à plus de soixante années d'une fidélité sans faille, le ministère de la Défense russe a récemment signifié par voie de communiqué de presse l'arrêt de ses commandes officielles de fusils AK-47. Il est temps pour elle de passer à autre chose. Les ouvriers de l'usine d'Ijevsk, ses anciens ouvriers et ses anciens collaborateurs, se sont dans la foulée concertés entre eux et ont sagement entrepris de lui dissimuler cette décision historique des autorités de l'armée.

Parce qu'il ne survivrait pas à cet abandon.

L'auteur tient à remercier Céline Geoffroy de France Culture, Yannick Mercoyrol et son équipe de la direction culturelle du domaine national de Chambord.

Ariel Kyrou, *Google God*
La Logique du massacre, Derniers écrits
des tueurs de masse
Joan Burbick, *Gun Show Nation*
Saddam Hussein : La Chute, Interrogatoires par le FBI
Collectif, *La Nuit où le Mur est tombé*
Ariel Kyrou, *ABC-Dick*
Claro, *Le Clavier cannibale*
Luc Sante, *My Lost City*
Jacques Barbéri, *Les Années Spoutnik*

ANTHOLOGIES

François Morice, *Parole de truand*
Mathilde Helleu, *Paris au pied de la lettre*
Elsa Delachair, *L'Art de l'insulte*
Johan Faerber, *La Cuisine des écrivains*

INCULTE/L'ARC

Gilles Deleuze, Georges Perec, Claude Lévi-Strauss,
James Joyce, Pierre Klossowski, Jean-Paul Sartre,
Marcel Proust, Michel Foucault, Georges Bataille,
Roland Barthes, Sigmund Freud, Jacques Lacan,
Gustave Flaubert, Jean-François Lyotard

COLLECTIF INCULTE

revue littéraire et philosophique
bimestrielle # 1 à 20

Face à Sebald
Le Ciel vu de la Terre
Face à Lamarche-Vadel
Face à Pynchon
Une chic fille
Devenirs du roman

REVUE LE BELIEVER
1 (Don DeLillo, Greil Marcus, Zadie Smith...)

REVUE MULTITUDES
48, Majeure : Contre-fictions politiques

ISBN : 978-2-916940-78-6

© éditions inculte, 2012
3, rue de Nemours
75011 Paris

Plus d'infos sur www.inculte.fr

Ce livre a été réalisé en police Tribute.

Remerciements :
Société des amis d'inculte, Caroline Hoctan,
Cyril Bonnier, Jean-Claude Fasquelle, Céline Arnal.

Distribution : UD
Diffusion : Actes Sud

Droits de traduction et de reproduction
réservés pour tous pays.

Achevé d'imprimer en février 2012
à l'imprimerie du Canal, Paris